商务馆世界少儿汉语系列教材

世界汉语教学学会　审订

D1516049

世界少儿汉语

World Young Learners' Chinese

第1册

李润新　主编

商务印书馆

The Commercial Press

2008年·北京

图书在版编目（CIP）数据

　　世界少儿汉语. 第1册/李润新主编. -北京：商务印书馆，2008
　　ISBN　978-7-100-05565-9

　　I. 世… II. 李… III. 汉语-对外汉语教学-教材
IV. H195.4

　　中国版本图书馆CIP数据核字（2007）第108900号

SHÌ JIÈ SHÀO'ÉR HÀNYǓ

世　界　少　儿　汉　语

李润新　主编

第 1 册

商 务 印 书 馆 出 版
（北京王府井大街36号　邮政编码100710）
商 务 印 书 馆 发 行
北京中科印刷有限公司印刷
ISBN 978-7-100-05565-9

2008年6月第1版　　　　开本 880×1230 1/16
2008年6月北京第1次印刷　印张 7 3/4
定价：36.00元

顾　　问	季羡林　吕必松
名誉编委	崔希亮（北京语言大学校长）
	彭　俊（北京华文学院院长）
	苏国华（北京芳草地小学校长）
主　　编	李润新
编　　委	李润新　张　辉　张向华
	黄荣荣　付　钢　邵亚男
	陈　曦　周　洁〔泰国〕
翻　　译	张　辉　韩　菡
绘　　图	镭　铀

Lǐ Àihuá
李爱华
liù suì, nánháir, huáyì
六岁, 男孩儿, 华裔
a six-year-old boy of Chinese origin

Bái Lìli
白丽丽
liù suì, nǚháir, huáyì
六岁, 女孩儿, 华裔
a six-year-old girl of Chinese origin

Ālǐ
阿里
liù suì, nánháir, Fēizhōu xuésheng
六岁, 男孩儿, 非洲 学生
an African schoolboy, six years old

Mǎlì
玛丽
liù suì bàn, nǚháir, Ōuzhōu xuésheng
六岁半，   女孩儿，欧洲   学生
an European schoolgirl, six and a half
years old

这四个小学生是我们课本的主人公。

他们是同学，也是好朋友。

他们也会成为你们学好汉语的好伙伴！

As classmates and good friends, the four
pupils are the main characters of this
series, and will also become your companions
in your Chineses study!

序

　　一种语言的国际地位，跟使用这种语言的国家的实力密切相关。随着经济、科技、外贸等的高速发展，中国的国际地位在迅速提高，在国际事务中的作用也越来越大。这就促使某些国家早已兴起的汉语热继续升温，在中小学开设汉语课的学校也越来越多。作为一名汉语教学工作者，我对此兴奋不已。

　　中国人学外语要从娃娃抓起，外国人学汉语也应当如此。道理很明显，跟成年人相比，少儿学习外语有天然的优势，尤其是有更强的模仿能力，更容易学到纯正的语音。令人遗憾的是，迄今为止，我国专供外国少儿学习的汉语教材还出版得很少。李润新教授主编《世界少儿汉语》系列教材，是适应时代需要和外语学习趋势的一件大事，我相信凡是关心汉语推广的人都会大力支持。

　　我仔细拜读了《〈世界少儿汉语〉系列教材编写大纲》和部分样课，深感这部教材特色鲜明，针对性和实用性很强，编教指导思想和教材编写原则也十分明确，不但反映了我国对外汉语教学的丰富经验，而且还吸收了一些最新研究成果，在"字本位"的编教路子上，有所开拓，有所创新，较充分地体现了汉语、汉字的特点。这主要是因为主编和编委都是学有专长和教学经验丰富的教授和老师。我们有理由相信，《世界少儿汉语》将是一部出色的教材，一定会受到学习者和教师的欢迎。

　　李润新教授命我为教材写序，我除了深感荣幸之外，还要以一名汉语教学工作者的名义，向为发展我国对外汉语教学事业而甘心奉献的主编和全体编委，向对出版这部教材充满热忱的商务印书馆，表示深深的敬意，并预祝《世界少儿汉语》获得成功。

吕必松

2006年3月于北京

编写说明

一、《世界少儿汉语》是一套供外籍少儿教学的系列综合教材，是根据中国国家汉办《汉语水平考试（少儿）》等文件，针对小学汉语教学的实际情况而编写的。适合所有华裔和非华裔的少儿汉语教学使用。

二、教学编写贯彻四个原则：

1. 以培养言语交际能力为目的，以听、说、读、写的言语技能训练为手段。

2. 贯彻"以学生为中心，以教师为主导"的原则，启发和引导学生积极参与教学的全部活动。

3. 始终注重汉字和汉语的特点，走"以字为本位"的编教之路，既注意继承并发扬传统的和现代的汉语教学经验，也吸收其他语种的先进的教学经验。

4. 贯彻"以人为本"、"以爱育人"的原则。

三、本教材的教学目标：

培养学生具备汉语普通话听、说、读、写的基本言语技能和初步言语交际能力，了解中华文化的基本常识，为进一步学习中国语言文化打下良好的基础。

四、本教材在体例上的五个特点：

1. 语音教学采用中国大陆小学及幼儿园的语音教学系统，采取三拼法与整体认读。侧重语音操练，针对外籍小学生发音的特点，从实际言语材料的语流入手，然后分解声母、韵母、声调，进行音素教学和拼音、正音、辨音、辨调等各种技能训练，使音素教学与汉字、词汇、短语、句子教学相结合，做到把学习语音和学习说话结合起来。

2. 本教材摆脱了多年按印欧语系拼音文字"以词为本位"来编写汉语教材的旧路子，开拓了符合汉语自身特点和规律的"以字为本位"的编教新路子。遵循汉字结构规律和中小学生的认知规律，从笔画笔顺入手，按照笔画、部件、独体字、合体字的顺序，由易到难、由简单到复杂地有序排列，识字写字都"以部件为纲"，充分体现汉字形、音、义结合的特点。通过"字—词—句"做到"字不离词、词不离句",把汉字教学、词汇教学和汉语教学结合起来。通过"说一说"、"读一读"做到口语表达能力和书面语表达能力同步提高。

3. 本教材在小学阶段不讲语法,在大量言语现象感性认知的基础上,启发学生感悟基本语法知识。要求教师精讲多练,三分之二的时间让学生操练,尽量多用形象直观的教学手段,"寓教于乐"、"寓教于动",多用公式、图表、图片、动作演示等方法让学生理解。

4. 本教材设"儿歌乐园",每课有一至三个儿歌或谜语,大多是自编的,作为每课的辅助读物,以增加教材的趣味性和知识性。

5. 本教材每课配有一幅主题画,生词基本上是一词一图,"说一说"、"读一读"也均配有一两幅插图,做到图文并茂,文中有画,画中有文,增加词语的形象性和语境的真实性,有助于学生的理解和运用。

五、本教材有主教材12册,《活动手册》12册,并配有《教师手册》。每册10课,分2个单元,每单元5课,包括一个复习课。

六、本教材面向现代化,将配以录音、录像、光盘、教具、学具等,是一套多媒体的立体教材。

由于编写时间紧促,难免有疏漏之处,祈盼专家、学者及广大教师、学生家长不吝赐教,以期使之日臻完善。

编　者
2006年8月

 **Mùlù**

Wǒ Ài Māma Bàba

I love mum and dad

生 词 New words

māma
mum; mother

bàba
dad; father

ài
love

wǒ
I; me

lǎoshī
teacher

课　文　Text

Wǒ ài māma.
Māma ài wǒ.

Wǒ ài bàba.
Bàba ài wǒ.

Wǒ ài bàba、māma.
Bàba、māma ài wǒ.

Māma ài bàba.
Bàba ài māma.

Wǒ ài lǎoshī.
Lǎoshī ài wǒ.

声 母 Initials

b   m   l   w   sh

韵 母 Finals

a   o   ai   ao

整体认读 Read and learn the following syllables

shi

声 调 Tones

— 第一声
the first tone

╱ 第二声
the second tone

∨ 第三声
the third tone

╲ 第四声
the fourth tone

拼 音 Initial-final combination

m + ā → mā

b + á → bá

m + ǎ → mǎ

b + à → bà

5

常用字发音练习　Pronunciation exercise

5 ——————
4 ——————
3 ——————
2 ——————
1 ——————

bā mā  lā

wāi  māo shāo  wō

5 ——————
4 ——————
3 ——————
2 ——————
1 ——————

bá  wá  bái

báo  máo sháo shí

ǎi   mǎ   bǎi

mǎi   shǎo   lǎo   wǒ

ài   bà   wà

mài   shài   bào   mào

儿歌乐园 Children's songs

一

Wǒ ài mā,
I love mum,

mā ài wǒ.
and mum loves me.

Bà ài mā,
Dad loves mum,

mā ài bà.
and mum loves dad.

二

Wǒ ài bà,
I love dad,

bà ài wǒ.
and dad loves me.

Mā ài bà,
Mum loves dad,

bà ài mā.
and dad loves mum.

有趣的汉字　Interesting characters

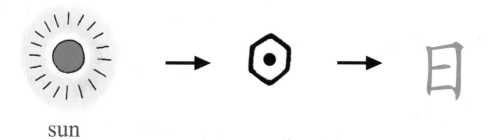

sun

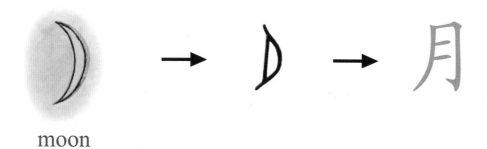

moon

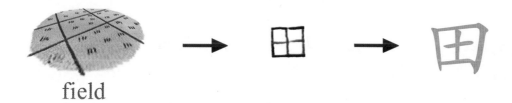

field

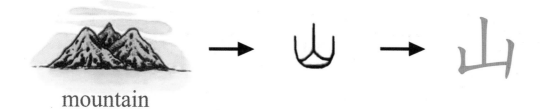

mountain

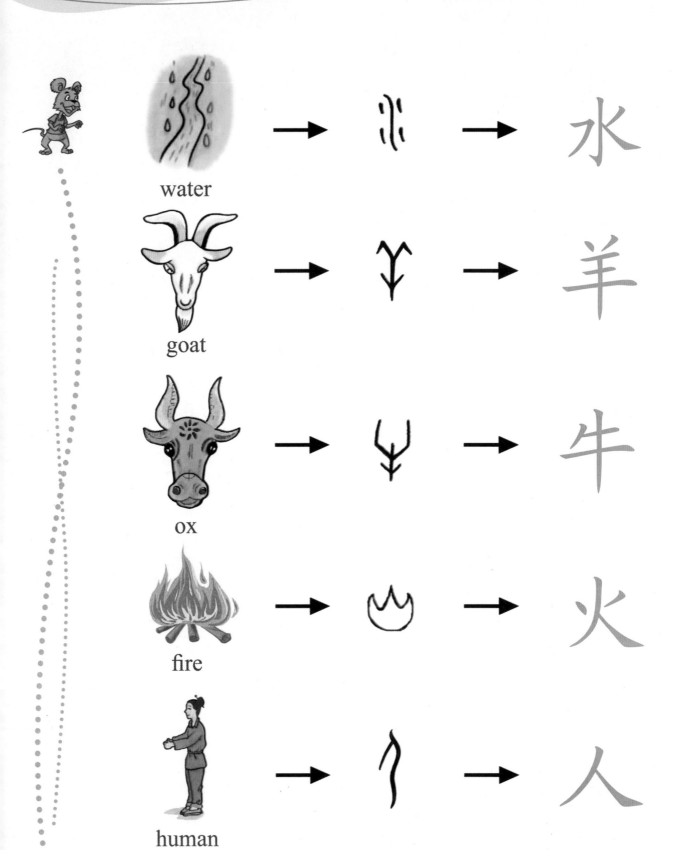

water → 水

goat → 羊

ox → 牛

fire → 火

human → 人

NǏ Hǎo

How are you

生 词 New words

nǐ
you

nín
you (in a polite way)

hěn hǎo
very good

ma
a modal particle

péngyou
friend

课 文 Text

Nǐ hǎo !
Nǐ hǎo !

Lǎoshī, nín hǎo !

Nǐ hǎo, péngyou !

Nǐ hǎo ma?
Wǒ hěn hǎo.

声 母 Initials

p　　n　　h　　y

韵 母 Finals

i　　in　　en　　eng　　ou

整体认读 Read and learn the following syllables

yi　　yin

常用字发音练习　Pronunciation exercise

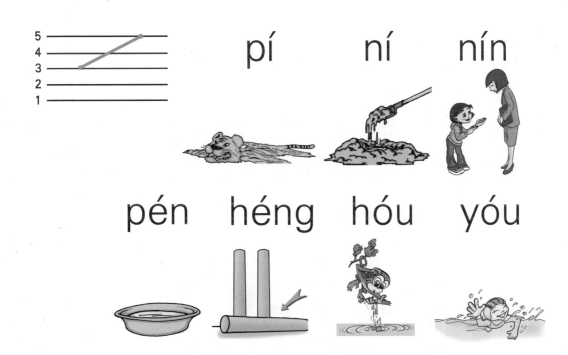

yǐ　bǎo　nǐ

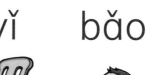

hěn　pěng　hǒu　yǒu

yìn　pèng　hòu

yòu　là　bào　shòu

儿歌乐园 *Children's songs*

Lǎoshī hǎo,
The teacher is good,

hǎo lǎoshī.
and she is a good teacher.

Māma hǎo,
Mum is good,

hǎo māma.
and she is a good mum.

Bàba hǎo,
Dad is good,

hǎo bàba.
and he is a good dad.

描一描，写一写 Trace and write

笔画 → 笔顺 → 汉字　Strokes → Order of strokes
→ Chinese character

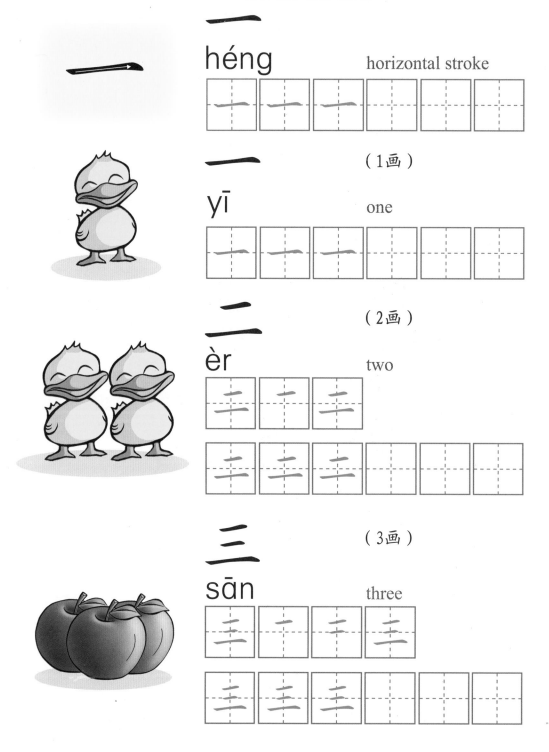

一

héng　　horizontal stroke

（1画）

一

yī　　one

（2画）

二

èr　　two

（3画）

三

sān　　three

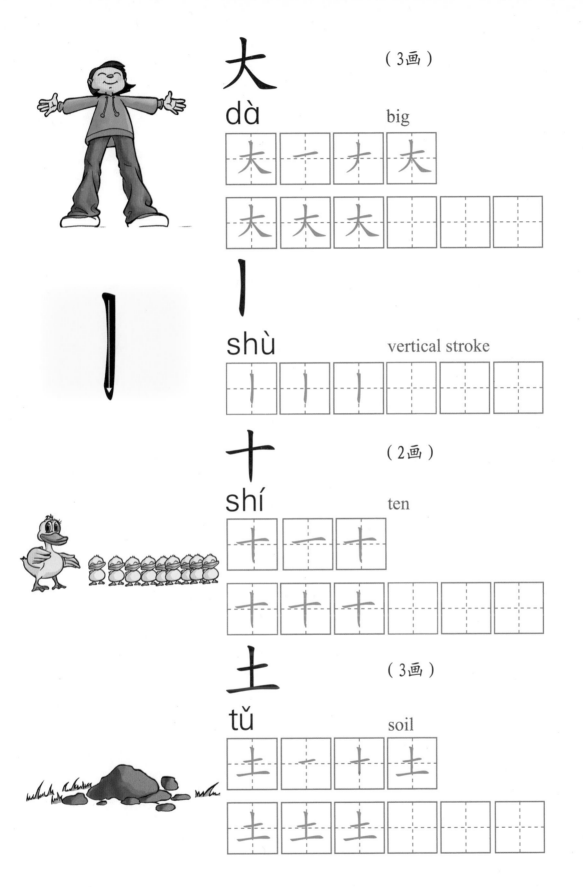

大
dà   big
（3画）

丨
shù   vertical stroke

十
shí   ten
（2画）

土
tǔ   soil
（3画）

上

（3画）

shàng　up

下

（3画）

xià　down

Nǎinai Hēchá

Please drink tea, granny

生 词 New words

yéye
grandpa

nǎinai
grandma;
granny

gēge
elder
brother

hē
drink

dìdi
younger
brother

kāfēi
coffee

chá
tea

kělè
Cola

suānnǎi
yoghourt

niúnǎi
milk

课 文 Text

Nǎinai hēchá.

Yéye hē kāfēi.

Gēge hē kělè.

Dìdi hē suānnǎi.

Wǒ hē niúnǎi.

声 母 Initials

f   d   g

k   s   ch

韵 母 Finals

e   ei   u

iu   an

整体认读 Read and learn the following syllables

ye   wu   si

chi

常用字发音练习 pronunciation exercise

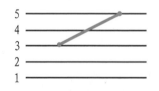

chī　　gē　　chē

fēi　　sān　　guān　　chuān

yé　　chí　　gé

féi　　fú　　dú　　chuán

wǔ   chǐ   kě

gěi   gǔ   sǎn   duǎn

yè   sì   gài

sè   fàn   dàn   kàn

儿歌乐园 Children's songs

一

Duō hēchá,
Drinking more tea
yǒu hǎochu.
is of great benefit.
Yǒu hǎochu,
Tea is good,
hē gè gòu.
and drink as much as you like.

二

Niúnǎi hǎo,
Milk is good,

suānnǎi hǎo.
and yoghourt is good.

Jīngcháng hē,
It is necessary

bù kě shǎo.
to drink it often.

描一描，写一写 Trace and write

笔画 → 笔顺 → 汉字   Strokes → Order of strokes → Chinese character

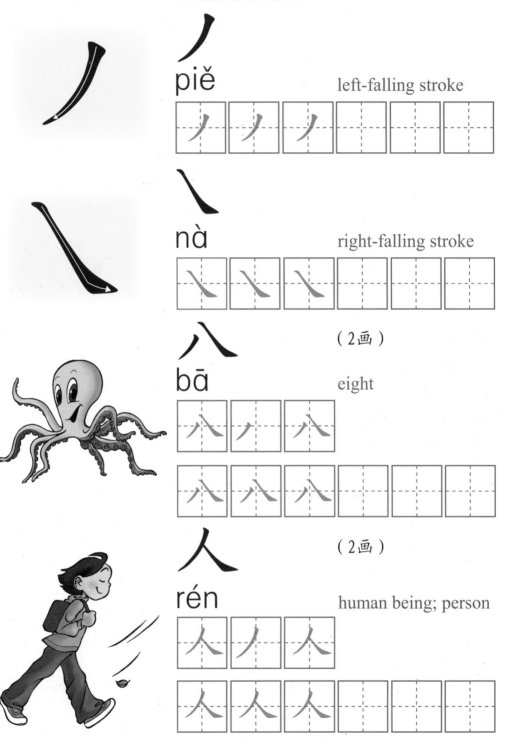

ノ
piě   left-falling stroke

乀
nà   right-falling stroke

（2画）

八
bā   eight

（2画）

人
rén   human being; person

入
rù
（2画）
enter

| 入 | ノ | 入 |
| 入 | 入 | 入 | | | |

个
gè
（3画）
a classifier used before a noun

| 个 | ノ | 人 | 个 |
| 个 | 个 | 个 | | | |

太
tài
（4画）
extremely

| 太 | 一 | ナ | 大 | 太 |
| 太 | 太 | 太 | | |

フ
héngpiě
horizontal and left-falling stroke

| フ | フ | フ | | | |

又

（2画）

yòu

an adverb used to indicate repetition or continuation

又	フ	又

又	又	又			

友

（4画）

yǒu friend

友	一	ナ	方	友

友	友	友			

今

（4画）

jīn present-day

今	丿	人	今	今

今	今	今			

Wǒ Xǐhuan Xióngmāo

I like panda

生 词 New words

jiějie
elder sister

mèimei
younger sister

tā
he;him;she;her

yě
also; too

jīnyú
goldfish

xiǎogǒu
dog

xǐhuan
like

xióngmāo
panda

xiǎomāo
cat; kitten

niú
ox

mǎ
horse

课 文 Text

Wǒ xǐhuan xióngmāo.
Gēge yě xǐhuan xióngmāo.

Jiějie xǐhuan xiǎogǒu.
Yéye yě xǐhuan xiǎogǒu.

Mèimei xǐhuan jīnyú.
Nǎinai yě xǐhuan jīnyú.

Dìdi xǐhuan xiǎomāo,
yě xǐhuan xiǎogǒu.

Māma xǐhuan niú,
tā yě xǐhuan mǎ.

Bàba xǐhuan niú,
tā yě xǐhuan mǎ.

声 母　Initials

t　　　j　　　q　　　x

韵 母　Finals

ü　　　ie　　　ang　　　ing

ong

整体认读 Read and learn the following syllables

yu　　ying

常用字发音练习　Pronunciation exercise

5 ━━●━━━━━●━━
4 ─────────────
3 ─────────────
2 ─────────────
1 ─────────────

tā　　　tī　　　jī

qī　　jiāo　　qiāo　　xīng

5 ──────────
4 ──────────
3 ──────────
2 ──────────
1 ──────────

táng　　yú　　qí

qiáng　　jú　　xié　　qiáo

yǔ   xǐ   jiě

xiě   xiǎo   jiǎng   xiǎng

tù   qù   xiè

jiào   xiào   jìng   xiàng

儿歌乐园 *Children's songs*

一

Jīnyú yóu,
A goldfish swims,
xiǎogǒu pǎo.
and a puppy runs.
Páshàng shù,
That climbs trees
shì xióngmāo.
is a panda.

二

Xióngmāo hǎo,
A panda is good,
hǎo xióngmāo.
and it is a good panda.
Dàjiā ài,
Everyone loves it,
shì guóbǎo.
it is a national treasure as well.

37

• 世界少儿汉语

描一描，写一写 Read and write Chinese characters

笔画→笔顺→汉字　Strokes → Order of strokes
　　　　　　　　→ Chinese character

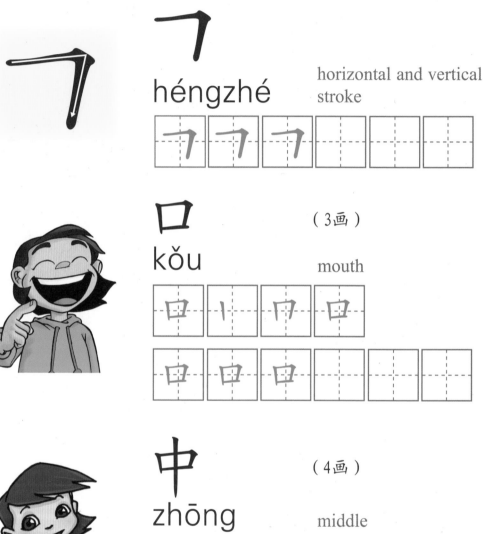

ㄱ

héngzhé　horizontal and vertical stroke

口　（3画）

kǒu　mouth

中　（4画）

zhōng　middle

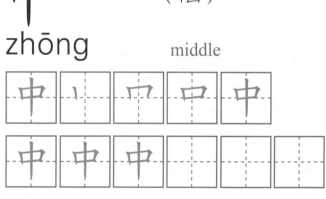

38

日 （4画）
rì　　　sun

五 （4画）
wǔ　　　five

乚
shùzhé　　　vertical and horizontal stroke

山 （3画）
shān　　　mountain

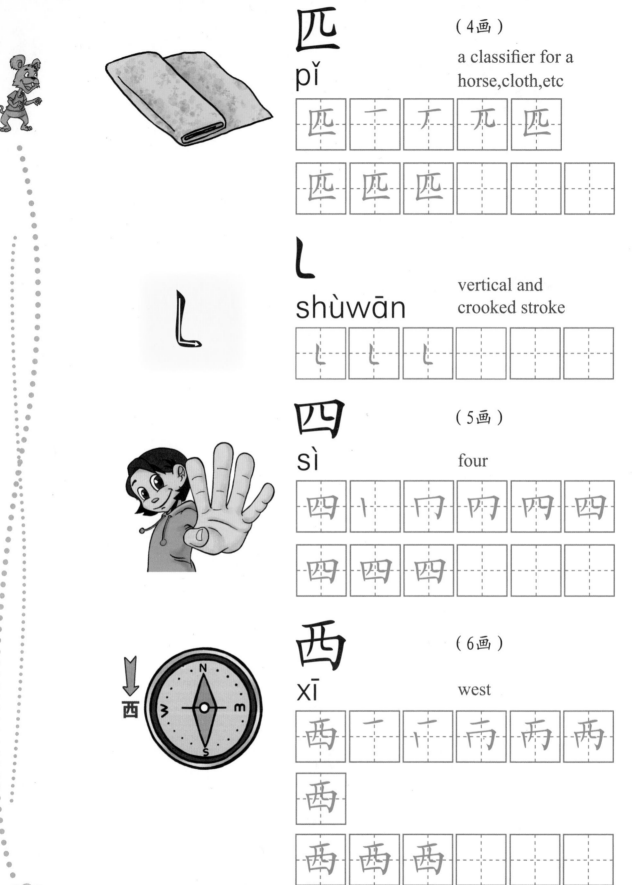

匹
pǐ

（4画）

a classifier for a horse,cloth,etc

| 匹 | 一 | 丆 | 兀 | 匹 |
| 匹 | 匹 | 匹 | | |

乚
shùwān

vertical and crooked stroke

| 乚 | 乚 | 乚 | | | |

四
sì

（5画）

four

| 四 | 丨 | 冂 | 冈 | 四 | 四 |
| 四 | 四 | 四 | | | |

西
xī

（6画）

west

西

西	一	一	币	襾	西
西					
西	西	西			

5

Fùxíkè
Nǐmen Hē Shénme

Revision

What would you like to drink

生 词 New words

wǒmen

we; us

nǐmen

you (plural form)

tāmen

they; them

shénme

what

hóng

red

lù

green

课 文 Text

Lǎoshī hǎo ！
Nǐmen hǎo ！

Yéye ài nǎinai.
Nǎinai ài yéye.

Bàba māma, nǐmen
hē shénme?
Wǒmen hē lǜchá.

Wǒ xǐhuan xióngmāo,
jiějie yě xǐhuan xióngmāo.

Tāmen hē shénme?
Tāmen hē hóngchá.

读一读，念一念　Learn to read

声母认读：
Initials

b	p	m	f
d	t	n	l
g	k	h	
j	q	x	
ch	sh		
s			
y	w		

韵母认读：
Finals

a	o	e	i	u	ü
ai	ei				
ao	ou				
ie	iu				
an	en	in			
ang	eng	ing	ong		

整体认读：
syllables

chi	shi			
si				
yi	ye	yu	yin	ying
wu				

儿歌·乐园　Children's songs

一

Nǐ wǒ tā, ài māma.
You, he and I, all love mums.

Ài māma, nǐ wǒ tā.
Who love mums, are you, he and I.

Nǐ wǒ tā, ài bàba.
You, he and I, all love dads.

Ài bàba, nǐ wǒ tā.
Who love dads, are you, he and I.

二

Nǐ wǒ tā,　ài hēchá.
You, he and I,　all love drinking tea.

Ài hēchá,　nǐ wǒ tā.
Who love drinking tea are you, he and I.

三

liǎng zhī lǎo hǔ, liǎng zhī lǎo hǔ,
There are two tigers, there are two tigers,

pǎo de kuài! pǎo de kuài!
running very fast! running very fast!

yī zhī méi yǒu yǎn jing, yī zhī méi yǒu wěi ba.
One of them has no eyes, the other one has no tail.

zhēn qí guài! zhēn qí guài!
So strange! So strange!

描一描，念一念   Trace and read

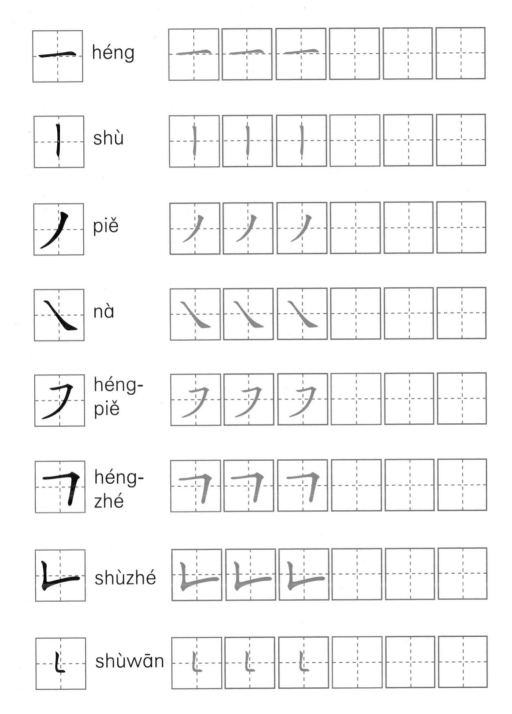

héng

shù

piě

nà

héng-
piě

héng-
zhé

shùzhé

shùwān

描一描，写一写　Trace and write

一

二

三

大

十

土

上

下

八

人

入

个

太

又

友

今

口

中

日

五

山

匹

西

四

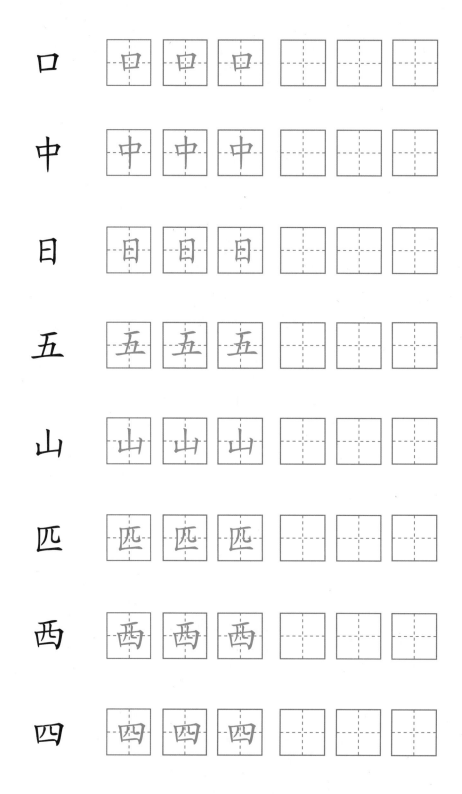

6 Chī Shuǐguǒ

Eating fruits

生 词 New words

chī
eat

shuǐguǒ
fruit

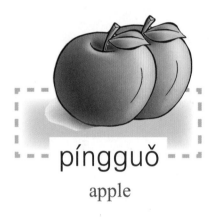

píngguǒ
apple

xiāngjiāo
banana

xīguā
watermelon

lí
pear

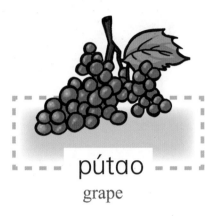

pútao

grape

chéngzi

orange

táozi

peach

mángguǒ

mango

júzi

tangerine

课 文 Text

Tāmen chī shénme
shuǐguǒ?

Yéye chī píngguǒ.
Nǎinai chī xiāngjiāo.

Bàba chī xīguā.
Māma chī lí.

Gēge chī pútao.
Jiějie chī mángguǒ.

Dìdi chī táozi.
Mèimei chī júzi.

声 母 Initials

z   c

韵 母 Finals

ui   uo

整体认读 Read and learn the following syllables

zi   ci

常用字发音练习 Pronunciation exercise

sī   cā   tuī

cuī   tuō   cuō

Kuài !

cí zá dá

láo máo mó

zǐ sǎ zuǐ

zuǒ suǒ wǔ

zì　　　cì　　　sì

zuì　　suì　　zuò　　cuò

儿歌·乐园 *Children's songs*

Dà xīguā,
A big watermelon

yuán yòu yuán.
is round.

Chī xīguā,
We eat watermelons,

tián yòu tián.
which are sweet.

二

Chī shuǐguǒ,
Eating fruits

hǎochu duō.
is of great benefit.

Hǎochu duō,
It is of great benefit

chī shuǐguǒ.
to eat fruits.

描一描，写一写　Trace and write

diǎn
dot stroke

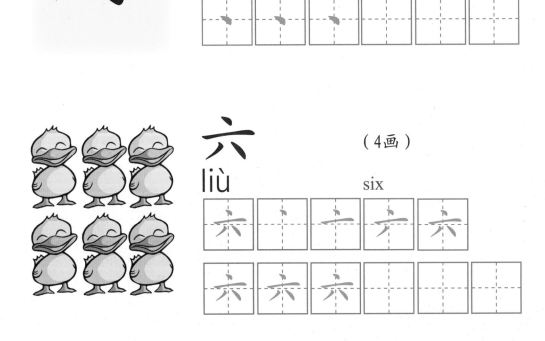

六
liù

（4画）

six

文
wén

（4画）

character; language

文	、	二	宁	文
文	文	文		

半
bàn

（5画）

half

半	、	・	✓	半	半
半	半	半			

不
bù

（4画）

not;no

不	一	丆	不	不
不	不	不		

头
tóu

（5画）

head

头	、	・・	二	头	头
头	头	头			

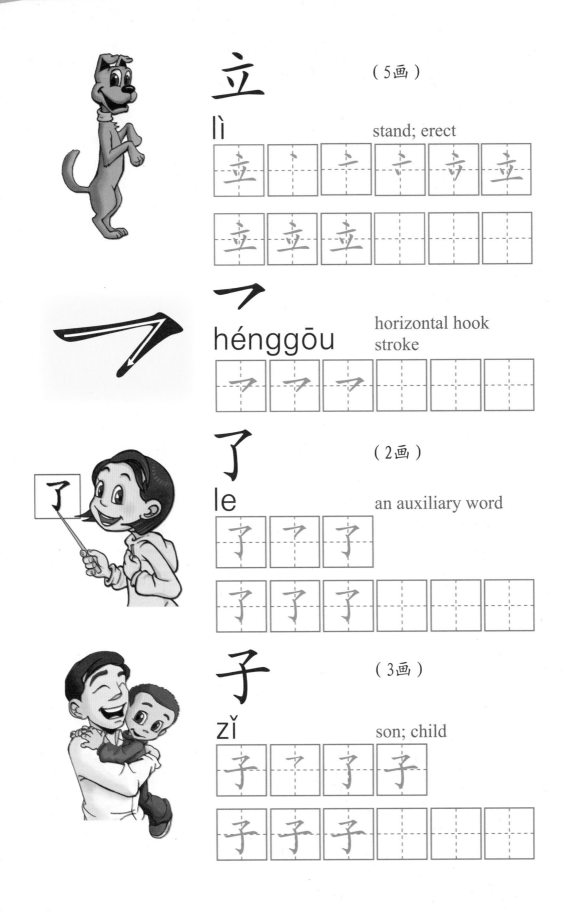

立
lì　　　stand; erect
（5画）

⁊
hénggōu　　horizontal hook stroke

了
le　　　an auxiliary word
（2画）

子
zǐ　　　son; child
（3画）

Chīfàn

Having a meal

生 词 New words

fàn
meal

mǐfàn
steamed rice

bāozi
steam stuffed bun

jiǎozi
dumpling

miànbāo
bread

shūcài
vegetable

báicài
Chinese cabbage

tǔdòu
potato

huángguā
cucumber

bù
not; no

ròu
meat

yángròu
mutton

niúròu
beef

jīròu
chicken

课 文 Text

Nǐ chī mǐfàn ma?
Wǒ bù chī mǐfàn,
wǒ chī miànbāo.

Bàba xǐhuan chī jiǎozi.
Māma xǐhuan chī bāozi.

Nǐmen xǐhuan chī shénme
shūcài?
Gēge xǐhuan chī báicài.
Jiějie xǐhuan chī huánggguā.
Wǒ xǐhuan chī tǔdòu.

Nǐ xǐhuan chī shénme ròu?
Wǒ xǐhuan chī yángròu,
bù xǐhuan chī niúròu.

Mèimei xǐhuan chī jīròu.
Dìdi yě xǐhuan chī jīròu.

声　母　Initials

r

整体认读　Read and learn the following syllables

ri

常用字发音练习　　Pronunciation exercise

5
4
3
2
1

rēng　　**quān**　　**juān**

qiā　　**qiān**　　**xū**

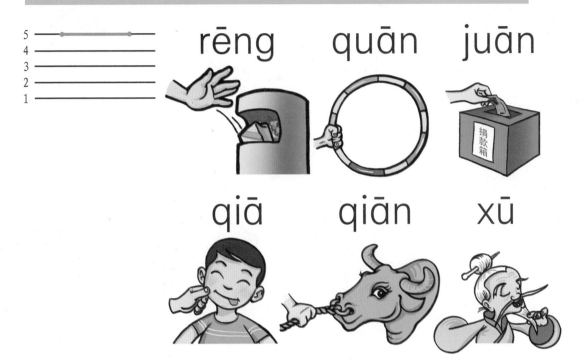

5
4
3
2
1

rán　　**ráng**　　**rén**

róng　　**róu**　　**náo**

rǔ rǎn rǎo

ruǐ ruǎn rǎng

rì rè rù

rèn ròu ràng

儿歌乐园 Children's songs

一

Zǎofàn yào chīhǎo,
We should eat breakfast well,

wǔfàn yào chībǎo,
eat lunch to our fill,

wǎnfàn yào chīshǎo.
and eat supper little.

Dìngshí yòu dìngliàng,
Eating on time and in moderation,

bǎo nǐ shēntǐ hǎo.

will guarantee your health.

二

Zhǔshí hǎo,
Staple food is good,

fùshí hǎo.
and accesary foods are good.

Yúkuài chī,
Eat with pleasure,

bié tài bǎo.
and do not eat too much.

描一描，写一写　Trace and write

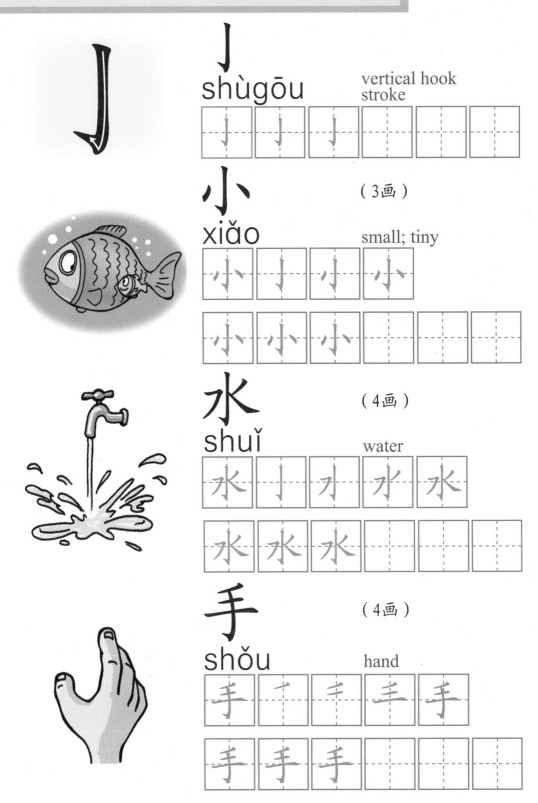

亅
shùgōu　vertical hook stroke

（3画）

小
xiǎo　small; tiny

（4画）

水
shuǐ　water

（4画）

手
shǒu　hand

し
shùwāngōu vertical and crooked hook stroke

し	し	し			

见
jiàn see

（4画）

见	丨	冂	见	见
见	见	见		

儿
ér son

（2画）

儿	ノ	儿
儿	儿	儿

己
jǐ oneself

（3画）

己	乛	己	己
己	己	己	

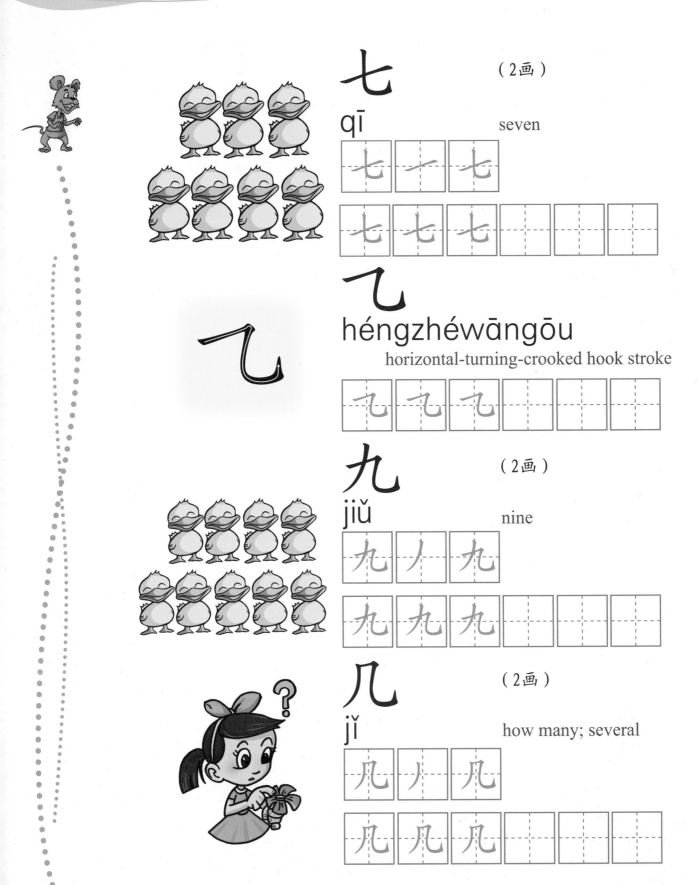

七
qī　　seven　　（2画）

乙
héngzhéwāngōu
horizontal-turning-crooked hook stroke

九
jiǔ　　nine　　（2画）

几
jǐ　　how many; several　　（2画）

8

Shǔ Yī Shǔ

Let's count

生 词 New words

yīqǐ
together

shǔ
count

yī
one

èr
two

sān
three

sì
four

wǔ
five

liù
six

qī
seven

bā
eight

jiǔ
nine

shí
ten

tóngxué
classmate

zàijiàn
See you.

课 文 Text

Lǎoshī hǎo !
Tóngxuémen hǎo !

Tóngxuémen, wǒmen shǔ yī shǔ:

一 二 三 , 三 二 一 。
Yī èr sān, sān èr yī.

一 二 三 四 五 , 五 四 三 二 一 。
Yī èr sān sì wǔ, wǔ sì sān èr yī.

一 二 三 四 五 六 七 ,
Yī èr sān sì wǔ liù qī,

七 六 五 四 三 二 一 。
qī liù wǔ sì sān èr yī.

73

一 二 三 四 五 六 七 八 九,
Yī èr sān sì wǔ liù qī bā jiǔ,

九 八 七 六 五 四 三 二 一。
jiǔ bā qī liù wǔ sì sān èr yī.

一 二 三 四 五 六 七 八 九 十,
Yī èr sān sì wǔ liù qī bā jiǔ shí,

十 九 八 七 六 五 四 三 二 一。
shí jiǔ bā qī liù wǔ sì sān èr yī.

Lǎoshī zàijiàn!
Tóngxuémen zàijiàn!

韵 母 Finals

er üe

整体认读 Read and learn the following syllables

yue

常用字发音练习　Pronunciation exercise

5
4
3
2
1

yuē　　quē　　xuē

liū　　jiān　　tōng

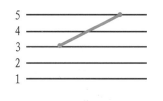

5
4
3
2
1

ér　　huá　　xué

liú　　qián　　tóng

ěr xuě liǔ

jiǔ jiǎn tǒng

èr yuè àn

què liù jiù jiàn

 **Children's songs**

Hànyǔ Shùzì Gē

汉语　数字　歌

Song of Numerals

Yī　èr　sān　sì　wǔ,　liù　qī　bā　jiǔ　shí.
一　二　三　四　五，六　七　八　九　十。
One two three　four　five　six　seven eight　nine　ten.

Yī　èr　sān　sì　wǔ,　liù　qī　bā　jiǔ　shí.
一　二　三　四　五，　六　七　八　九　十。
One two three four　five　　six seven eight nine　ten.

Lǎo　shī　hǎo!　Tóng　xué men　hǎo!
老　师　好!　同　学　们　好!
Hello,Sir and Madam !　Hello　everybody!

Nǐ　hǎo!　nǐ　hǎo!　nǐ　hǎo!　Zài jiàn!　zài　jiàn!
你　好!　你　好!　你　好!　再　见!　再　见!
Hello!　Hello!　Hello!　Bye-bye!　Bye-bye!

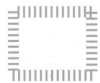

描一描，写一写　Trace and write

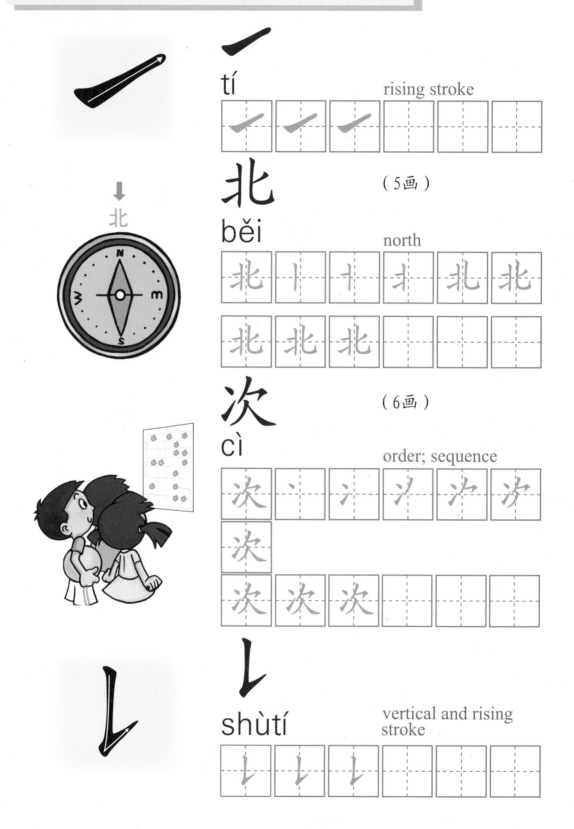

tí　rising stroke

（5画）

北 běi　north

（6画）

次 cì　order; sequence

shùtí　vertical and rising stroke

比
bǐ　（4画）　compare; compete

比	㇄	上	比	比
比	比	比		

长
cháng　long
zhǎng　grow　（4画）

长	ノ	七	长	长
长	长	长		

乛
héngzhégōu　horizontal-turning hook stroke

乛	乛	乛		

习
xí　（3画）　learn; practice

习	丁	习	习	
习	习	习		

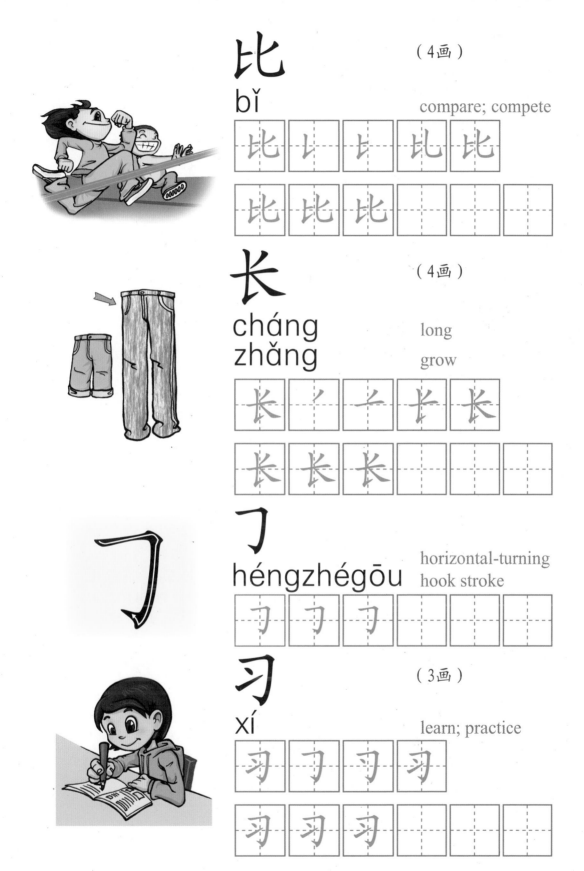

也 （3画）
yě　also; too

的 （8画）
de　an auxiliary word

乀
xiégōu　slanting hook stroke

我 （7画）
wǒ　I; me

Tiānshàng Yǒu Shénme

What are there in the sky

81

生 词 New words

tiānshàng
sky; heavens

yǒu
have; there is; exist

bái
white

yuán
round

duōshao
how many

tàiyáng
sun

yuèliang
moon

xīngxing
star

yún
cloud

de
an auxiliary word

zhīdào
know

ràng
let

báitiān
daytime

wǎnshang
evening; night

课 文 Text

Báitiān tiānshàng yǒu shénme?
Báitiān tiānshàng yǒu tàiyáng hé báiyún.

Wǎnshang tiānshàng yǒu shénme?
Wǎnshang tiānshàng yǒu yuèliang hé xīngxing.

Tiānshàng de xīngxing
yǒu duōshao? Nǐ zhīdào
ma?
Ràng wǒ shǔ yī shǔ:
yī, èr, sān...

声 母 Initials

zh

韵 母 Finals

un   ün   üan

整体认读 Read and learn the following syllables

zhi   yuan   yun

常用字发音练习　　Pronunciation exercise

zhī　　　yūn　　　dūn

tūn　　　chūn　　　jūn

zhí　　　yuán　　　yún

lún　　　qún　　　wén

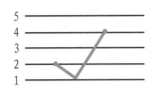

zhǐ　　　yuǎn　　　gǔn

kǔn　　　zhǔn　　　wěn

dùn　　　yuàn　　　gùn

kùn　　　wèn　　　juàn

儿歌乐园 Children's songs

一

Báiyún piāo,
White clouds are floating,

yuèliang pǎo.
and the moon is running.

Báiyún bái,
Clouds are white,

yuèliang xiào.
and the moon is smiling.

二

Mǎn tiān xīng,
There are many twinkle,

liàngjīngjīng.
stars in the sky.

Nǐ shǔ xīng,
You count the number of stars,

wǒ shǔ xīng.
and I count the number of stars.

Shǔ wa shǔ,
We count and count,

shǔ bù qīng.
but stars are countless.

世界少儿汉语

描一描，写一写　Trace and write

飞

héngzhéxiégōu
horizontal-turning-leaned hook stroke

（4画）

风
fēng　　wind

凤
fèng　　phoenix

（4画）

乚
piězhé　　left-falling-turning stroke

88

么
me   a suffix

（3画）

公
gōng   male

（4画）

云
yún   cloud

（4画）

乙
shùzhézhégōu

vertical-turning-turning hook stroke

89

与 （3画）

yǔ　　　　and; with

与	一	与	与
与	与	与			

马 （3画）

mǎ　　　　horse

马	乛	马	马
马	马	马			

写 （5画）

xiě　　　　write

写	冖	宁	写	写
写	写	写		

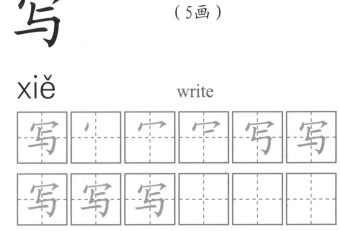
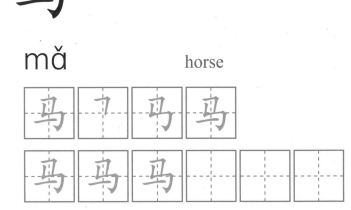

10

Fùxíkè
Nǐ Xǐhuan Chī Shénme

Revision
What would you like to eat

生 词 New words

shuí
who; whom

dòufu
tofu; bean curd

xiāngcháng
sausage

yú
fish

xiā
shrimp

mántou
steamed bread

bǐnggān
biscuit

bīngqílín
icecream

dàngāo
cake

qiǎokèlì
chocolate

miàntiáor
noodles

dōu
both; all

课 文 Text

Yéye ài chī dòufu.
Nǎinai yě ài chī dòufu.

Bàba xǐhuan chī yú.
Māma xǐhuan chī xiā.

Shuí ài chī mántou?
Gēge ài chī.

Jiějie ài chī dàngāo
hé bǐnggān.

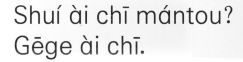

Dìdi hé mèimei dōu
xǐhuan chī bīngqílín.

Shuí xǐhuan chī qiǎokèlì?
Wǒ xǐhuan chī qiǎokèlì.

复习 revision

汉语拼音声韵母表
(Initial-final combinations in Chinese)

声母表 Initials

b	p	m	f
d	t	n	l
g	k	h	
j	q	x	
zh	ch	sh	r
z	c	s	
y	w		

韵母表　Finals

a	o	e	i	u	ü
ai	ei	ui			
ao	ou	iu			
ie	üe				
an	en	in	un	ün	
ang	eng	ing	ong		

整体认读　syllables

zhi	chi	shi	ri
zi	ci	si	
yi	wu	yu	
ye	yue	yuan	
yin	yun	ying	

发音练习　Pronunciation exercise

tiáo+er → tiáor

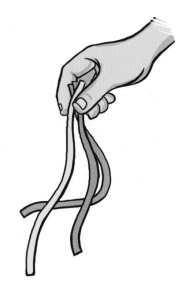

tiáor (bar)

miàntiáor (noodles)

bùtiáor (a bar of cloth)

biàntiáor (a note)

cháng+er → chángr

chángr (sausage)

xiāngchángr (sausage)

niúròu chángr (beef sausage)

yúròu chángr (fish sausage)

jīròu chángr (chicken sausage)

汉语拼音歌 Song of initial-final combinations

b p m f d t n l g k h j q x z c s r

z c s zh ch sh z c s r zh ch sh

a o e i u ü wo men dou lai xue pin yin

儿歌乐园 Children's songs

一

Xiāngcháng xiāng,
The sausage is delicious

dàngāo tián.
and the cake is sweet.

Qiǎokèlì,
Chocolate

xiāng yòu tián.
is both delicious and sweet.

Bīngqílín,
Icecream

tián yòu liáng.
is sweet and refreshing.

二

Zhǔshí yào chīhǎo,
We should eat staple food well

měi dùn bā fēn bǎo.
and should not eat too much.

Língshí yào chīshǎo,
We should eat less snack

bù chī yě hěn hǎo.
and it will be good if we do not snack at all.

描一描，念一念　Trace and read

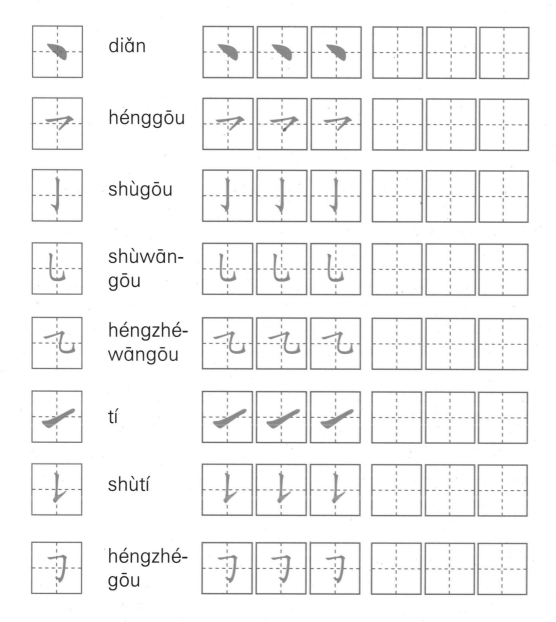

diǎn

hénggōu

shùgōu

shùwān-gōu

héngzhé-wāngōu

tí

shùtí

héngzhé-gōu

㇏	xiégōu	㇏	㇏	㇏			
乁	héngzhé-xiégōu	乁	乁	乁			
㇜	piězhé	㇜	㇜	㇜			
𠃑	shùzhé-zhégōu	𠃑	𠃑	𠃑			

描一描，写一写　Trace and write

六	六	六	六			
文	文	文	文			
半	半	半	半			
不	不	不	不			
头	头	头	头			
立	立	立	立			
了	了	了	了			

子小水手见儿己七九几北次比

子	子	子			
小	小	小			
水	水	水			
手	手	手			
见	见	见			
儿	儿	儿			
己	己	己			
七	七	七			
九	九	九			
几	几	几			
北	北	北			
次	次	次			
比	比	比			

长 习 也 的 我 风 凤 么 公 云 与 马 写

长	长	长			
习	习	习			
也	也	也			
的	的	的			
我	我	我			
风	风	风			
凤	凤	凤			
么	么	么			
公	公	公			
云	云	云			
与	与	与			
马	马	马			
写	写	写			

Hànzì de Jīběn Bǐxíng

Basic strokes of Chinese characters

笔形	名称	运笔方向	例字	
一	héng	一	二	三
丨	shù	丨	十	上
丿	piě	丿	月	人
乀	nà	乀	八	入
フ	héngpiě	フ	又	友
𠃌	héngzhé	𠃌	口	日
ㄴ	shùzhé	ㄴ	山	匹
ㄴ	shùwān	ㄴ	四	西

笔形	名称	运笔方向	例字	
丶	diǎn	丶	六	半
㇕	héngzhé	㇕	了	子
㇌	shùgōu	㇌	小	手
㇈	shùwān-gōu	㇈	七	己
㇠	héngzhé-wāngōu	㇠	九	几
㇀	tí	㇀	北	次
㇆	héngzhé-gōu	㇆	习	的
㇙	shùtí	㇙	比	长

笔形	名称	运笔方向	例字	
㇄	xiégōu	㇄	戈	我
㇟	héngzhé-xiégōu	㇟	风	凤
㇜	piězhé	㇜	么	云
㇉	shùzhé-zhégōu	㇉	与	马

Hànzì Bǐshùn Guīzé

Order rules for writing Chinese characters

规 则 *Rule*	例 字 *Example*	笔 顺 *Rules for writing*
xiàn héng hòu shù 先横后竖 *Horizontal line first, vertical line second*	十	一 十
xiān piě hòu nà 先撇后捺 *The down stroke to the left before one to the right*	人	丿 人

105

规则 *Rule*	例字 *Example*	笔顺 *Rules for writing*
cóng shàng dào xià **从上到下** *From top to bottom*	三	一 二 三
cóng zuǒ dào yòu **从左到右** *From left to right*	什	丿 亻 仁 什
cóng wài dào nèi **从外到内** *From outside to inside*	月	丿 刀 月 月
xiān lǐtou hòu fēngkǒu **先里头后封口** *First the within part,* *then the "seal" stroke*	因	丨 冂 冂 冈 冈 因
xiān zhōngjiān hòu liǎngbiān **先中间后两边** *First the middle part,* *then the two sides*	小	亅 小 小

Shēngzì Biǎo

1

rì	yuè	tián	shān	shuǐ	yáng
日	月	田	山	水	羊

niú	huǒ	rén
牛	火	人

2

yī	èr	sān	dà	shí	tǔ
一	二	三	大	十	土

shàng	xià
上	下

3

bā	rén	rù	gè	tài	yòu
八	人	入	个	太	又

yǒu	jīn
友	今

4

kǒu	zhōng	rì	wǔ	shān	pǐ
口	中	日	五	山	匹

sì	xī
四	西

6

liù	wén	bàn	bù	tóu	lì
六	文	半	不	头	立

le	zǐ
了	子

7

xiǎo	shuǐ	shǒu	jiàn	ér	jǐ
小	水	手	见	儿	己

qī	jiǔ	jǐ
七	九	几

8

běi	cì	bǐ	cháng/zhǎng	xí
北	次	比	长	习

yě	de	wǒ
也	的	我

9

fēng	fèng	me	gōng	yún
风	凤	么	公	云

yǔ	mǎ	xiě
与	马	写

Cíyǔ Biǎo

1

māma	bàba	ài	wǒ	lǎoshī
妈妈	爸爸	爱	我	老师

2

nǐ	nín	hěn hǎo	ma	péngyou
你	您	很好	吗	朋友

3

yéye	kāfēi	nǎinai	chá	gēge
爷爷	咖啡	奶奶	茶	哥哥

kělè	hē	suānnǎi	dìdi	niúnǎi
可乐	喝	酸奶	弟弟	牛奶

4

jiějie	mèimei	yě	tā	tā	xiǎogǒu
姐姐	妹妹	也	他	她	小狗

jīnyú	xióngmāo	xǐhuan	xiǎomāo	niú	mǎ
金鱼	熊猫	喜欢	小猫	牛	马

5

wǒmen	nǐmen	tāmen
我们	你们	他们

shénme	hóng	lǜ
什么	红	绿

6

chī	shuǐguǒ	píngguǒ	xiāngjiāo
吃	水果	苹果	香蕉

xīguā	lí	pútao	chéngzi
西瓜	梨	葡萄	橙子

táozi	mángguǒ	júzi
桃子	芒果	桔子

7

fàn	mǐfàn	bāozi	jiǎozi	miànbāo
饭	米饭	包子	饺子	面包

shūcài	báicài	tǔdòu	huángguā
蔬菜	白菜	土豆	黄瓜

bù	ròu	yángròu	niúròu	jīròu
不	肉	羊肉	牛肉	鸡肉

8

yīqǐ	shǔ	yī	èr	sān
一起	数	一	二	三

sì	wǔ	liù	qī	bā
四	五	六	七	八

jiǔ	shí	tóngxué	zàijiàn
九	十	同学	再见

9

tiānshàng	yǒu	bái	yuán	duōshao
天上	有	白	圆	多少

tàiyáng	yuèliang	xīngxing	yún	de
太阳	月亮	星星	云	的

zhīdào	ràng	báitiān	wǎnshang
知道	让	白天	晚上

10

shuí	dòufu	xiāngcháng	yú	xiā
谁	豆腐	香肠	鱼	虾

mántou	bǐnggān	bīngqílín	dàngāo
馒头	饼干	冰淇淋	蛋糕

qiǎokèlì	miàntiáor	dōu
巧克力	面条儿	都